LE TROISIÈME TESTAMENT

1. MARC, OU LE REVEIL DU LION

Scénario
X. DORISON (TSC) **- A. ALICE**
sur une idée originale de X. Dorison

Dessins et couleurs
A. ALICE

Glénat

Merci à Bajram.
Ainsi qu'à Nathalie, Claire, Mathieu, Ghislain
et Pierre Gaugué, frère dominicain.
Les auteurs tiennent également à exprimer leur gratitude envers
Philippe H. JORGE de la Bibliothèque Nationale, sans qui les carnets
d'Elsenor n'auraient jamais pu servir de base à cette histoire.

Note sur la datation des carnets :

En France, jusqu'en 1564, le début de l'année légale était fixé au jour de Pâques.
Ce système, appelé « Style de Pâques » ou « Style français » est bien sûr celui
utilisé dans les carnets d'Elsenor.
Nous avons choisi, par respect, de ne pas effectuer la conversion des dates.

Les auteurs.

www.glenat.com

© 1997, Éditions Glénat B.P. 177 - 38008 Grenoble Cedex
Tous droits réservés pour tous pays
Dépôt légal : juin 2007
Achevé d'imprimer et relié en Belgique par Imprimerie Lesaffre en octobre 2005

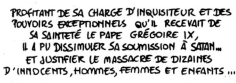

PROFITANT DE SA CHARGE D'INQUISITEUR ET DES POUVOIRS EXCEPTIONNELS QU'IL RECEVAIT DE SA SAINTETÉ LE PAPE GRÉGOIRE IX, IL A PU DISSIMULER SA SOUMISSION À SATAN... ET JUSTIFIER LE MASSACRE DE DIZAINES D'INNOCENTS, HOMMES, FEMMES ET ENFANTS...

"... ALLANT JUSQU'À ACCUSER D'HÉRÉSIE LE COMTE DE SAYN ICI PRÉSENT, POURTANT CONNU POUR SA PIÉTÉ ET SA GÉNÉROSITÉ ENVERS L'ÉGLISE !...

CAR LE DÉMON, MES CHERS FRÈRES, N'ÉTAIT PAS EN SES VICTIMES... MAIS EN LUI ! ET EN SA FEMME KRISTINE...

"... BRÛLÉE CE MATIN MÊME APRÈS AVOIR RECONNU SES FAUTES DURANT LA QUESTION !

MES FRÈRES, NOUS VENONS DE DÉLIVRER UNE VICTIME DU MAL...

...NOUS DEVONS MAINTENANT EN ÉRADIQUER LA SOURCE IMMONDE !

... MAIS AUPARAVANT, DANS SA GRANDE CLÉMENCE, LA SAINTE INQUISITION DONNE À L'ACCUSÉ UNE DERNIÈRE CHANCE DE SE CONFESSER.

2.

CONRAD DE MARBOURG, AVANT QUE TON CORPS NE SOIT PURIFIÉ PAR LE FEU, ES-TU PRÊT À SAUVER TON ÂME DEVANT LE TRIBUNAL ICI RÉUNI ?

L'ABSOLUTION NE PEUT VENIR QUE DE MON DIEU... PAS D'UN TRIBUNAL SOUILLÉ PAR LA CORRUPTION !

SILENCE, CHIEN !!

TAK!

MES CHERS FRÈRES, VOUS AVEZ ENTENDU COMME MOI... CONRAD DE MARBOURG REFUSE DE PURIFIER SON ÂME PAR L'AVEU DE SES PÉCHÉS... IL EST DONC DE NOTRE DEVOIR DE CHRÉTIENS DE LE CONFIER AU BRAS SÉCULIER, AFIN QUE LA SENTENCE SOIT EXÉCUTÉE...

AU NOM DE SA SAINTETÉ LE PAPE GRÉGOIRE IX, JE TE RETIRE CET ANNEAU, SYMBOLE DE TA CHARGE DE *MANUS DEI*, QUE TU AS DÉSHONORÉE À TOUT JAMAIS !

LA SAINTE INQUISITION A RENDU SON VERDICT. AINSI S'ACHÈVE LE PROCÈS DE CONRAD DE MARBOURG.

PUISSE DIEU DÉSORMAIS LUI ACCORDER SON PARDON ! ...

QU'ON LE CONDUISE AU BÛCHER!

ZZING

5

TCHK
TCHK

VLAM

MAÎTRE
!!

HÂTEZ-VOUS, MAÎTRE ! NOUS POUVONS ENCORE FUIR PAR LES SOUTERRAINS !!

IL EST TROP TARD POUR MOI, GERHARDT ! DIEU A REPRIS TOUT CE QUI DONNAIT SENS À MA VIE... PLUS RIEN NE ME RETIENT SUR CETTE TERRE.

MAIS...

PARTEZ !!

CHANGEMENT DE PROGRAMME, FRÈRE INQUISITEUR ! CE SOIR, LE DIABLE AURA DEUX INVITÉS !

QUEL DOMMAGE... J'AI BIEN PEUR QUE L'UN D'EUX NE DOIVE DÉCOMMANDER...

7

VINGT ANS PLUS TARD, COUVENT DE VEYNES 29 DÉCEMBRE 1306.

IL FAUT TOUT ARRÊTER, FRÈRE PIERRE ! CESSEZ IMMÉDIATEMENT VOS INVESTIGATIONS !

?!

MAIS, MON PÈRE, C'EST VOUS QUI M'AVEZ DEMANDÉ DE VENIR DIRIGER CES RECHERCHES !...

...ET JUSQU'À PRÉSENT, LA MISE À JOUR DE TOUS CES MANUSCRITS SEMBLAIT PLUTÔT VOUS CONVENIR !

CERTES, FRÈRE PIERRE... MAIS LES CHOSES VONT TROP LOIN ! J'AURAIS DÛ COMPRENDRE PLUTÔT QUE TOUT CELA N'ÉTAIT PAS L'ŒUVRE DE LA PROVIDENCE... MAIS BIEN CELLE DU MALIN !!

VOUS ÊTES LÀ, MES SEIGNEURS ? J'AI DU NOUVEAU !

IL EST PLUS QUE TEMPS! LE MAÎTRE S'IMPATIENTE...

PARLE.

ILS... ILS ONT TROUVÉ CE QUE VOUS CHERCHEZ... MAIS ILS L'ONT MIS EN SÉCURITÉ DANS LE SCRIPTORIUM AVANT QUE J'AIE PU FAIRE QUOI QUE CE SOIT... JE SUIS DÉSOLÉ... VOUS AVEZ MON ARGENT ?

OUI...

...MAIS TU N'EN AURAS PLUS BESOIN.

11

SOLITAIRE ET SÉVÈRE, CET HOMME PARAISSAIT RÉUNIR EN LUI LES PLUS PROFONDS TOURMENTS.

DEPUIS PRÈS DE VINGT ANS, IL VIVAIT DANS UN VIEUX CHÂTEAU DU CŒUR DE LA BRETAGNE, SANS QUE PERSONNE N'AIT JAMAIS SOUPÇONNÉ SON VÉRITABLE PASSÉ...

POUR LES PAYSANS DE SES TERRES, IL SEMBLAIT FAIRE PARTIE DE CES HOMMES QUE LE TEMPS A DÉCIDÉ D'OUBLIER...

...POURTANT, C'ÉTAIT EN LUI QUE MON PÈRE AVAIT PLACÉ SES PLUS PRÉCIEUX ESPOIRS...

JE L'IGNORAIS ENCORE, MAIS SA VENUE ALLAIT BOULEVERSER MA VIE, ET AINSI CHANGER À TOUT JAMAIS LE DESTIN DE LA CRÉATION !

10.

MON NOM EST ÉLISABETH D'ELSENOR, FILLE ADOPTIVE DE L'ARCHEVÊQUE CHARLES D'ELSENOR; ET J'ENTREPRENDS ICI DE CONSIGNER MES MÉMOIRES AFIN QUE LES TERRIBLES ÉVÉNEMENTS QUI EURENT LIEU EN CETTE FUNESTE ANNÉE 1307 SOIENT CONNUS DE CEUX QUI VIENDRONT APRÈS MOI...

POUR MOI, CETTE HISTOIRE COMMENÇA À PARIS LE SAMEDI AVANT PÂQUES 1306, VEILLE DE LA NOUVELLE ANNÉE...

L'ÉTRANGE ALTERCATION QUE J'EUS ALORS AVEC MON PÈRE AURAIT DÛ M'APPARAÎTRE COMME UN SIGNE ÉVIDENT: C'ÉTAIT LA PREMIÈRE BOURRASQUE; CELLE QUI ANNONCE LA TEMPÊTE...

COMMENT ÇA, NON?!

ET PEUT-ON SAVOIR POURQUOI JE DEVRAIS TOUT IGNORER DE VOTRE NOUVEL "INVITÉ"?

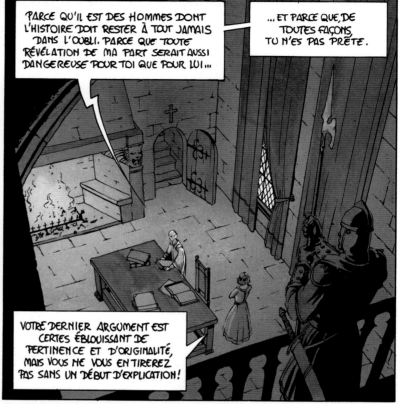

PARCE QU'IL EST DES HOMMES DONT L'HISTOIRE DOIT RESTER À TOUT JAMAIS DANS L'OUBLI. PARCE QUE TOUTE RÉVÉLATION DE MA PART SERAIT AUSSI DANGEREUSE POUR TOI QUE POUR LUI...

... ET PARCE QUE, DE TOUTES FAÇONS, TU N'ES PAS PRÊTE.

VOTRE DERNIER ARGUMENT EST CERTES ÉBLOUISSANT DE PERTINENCE ET D'ORIGINALITÉ, MAIS VOUS NE VOUS EN TIREREZ PAS SANS UN DÉBUT D'EXPLICATION!

LES SŒURS NE T'ONT-ELLES DONC PAS APPRIS À REFRÉNER TA CURIOSITÉ?

VOYONS, PÈRE... "ON N'EST CURIEUX QU'À PROPORTION DE SON INSTRUCTION"!

JE CROIS QUE JE VAIS FINIR PAR REGRETTER DE M'ÊTRE SOUCIÉ DE TON ÉDUCATION INTELLECTUELLE. LA CONNAISSANCE NE DEVRAIT PAS ÊTRE CONFIÉE AUX FEMMES...

L'HOMME QUE NOUS ATTENDONS EST UN AMI DE LONGUE DATE...

IL Y A VINGT ANS DE CELA, IL ÉTAIT UN DES PLUS FERVENTS SERVITEURS DE L'ÉGLISE, ET UN DES PLUS BRILLANTS THÉOLOGIENS DU SAINT-EMPIRE...

IL ÉTAIT RECONNU POUR SON INTELLIGENCE, ET SON INTERPRÉTATION DES TEXTES SACRÉS, BIEN QU'ASSEZ INHABITUELLE, SUSCITAIT L'INTÉRÊT DE TOUS...

QUE D'ÉLOGES POUR UNE SEULE PERSONNE ! MAIS POURQUOI FAIRE AUTANT DE MYSTÈRES AUTOUR D'UN HOMME SI PARFAIT ?

TOUT HOMME PEUT COMMETTRE DES ERREURS, ÉLISABETH ! LUI S'EST OBSTINÉ LORSQUE SON INTÉGRITÉ L'A AMENÉ À COMBATTRE SES SUPÉRIEURS...

CES DERNIERS L'ONT SÉVÈREMENT CONDAMNÉ. IL NE DOIT SA VIE AUJOURD'HUI QU'À LA CHANCE, ET AU SECRET TOTAL AUTOUR DE SON EXISTENCE...

MAIS... APRÈS TOUTES CES ANNÉES, COMMENT POUVEZ-VOUS ÊTRE AUSSI SÛR QU'IL NE VOUS A PAS OUBLIÉ ?

IL EST DES AMITIÉS QUE LE TEMPS NE PEUT EFFACER.

ÉLISABETH, LAISSE-MOI TE PRÉSENTER NOTRE HÔTE...

...LE COMTE CONRAD DE MARBOURG.

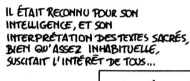

QUE FAISAIT CETTE JEUNE FILLE DANS TA SALLE DE TRAVAIL?

LES DÉTAILS DE CETTE HISTOIRE SERAIENT UN PEU LONGS À T'EXPLIQUER, CONRAD... EN FAIT, J'AI TROUVÉ CETTE ENFANT ABANDONNÉE SUR LE PARVIS DE MON ÉGLISE PEU APRÈS T'AVOIR QUITTÉ ...

DEPUIS, J'AI TOUJOURS CONSIDÉRÉ ÉLISABETH COMME MA PROPRE FILLE, ET L'AI ÉLEVÉE COMME TELLE...

C'ÉTAIT IL Y A PRESQUE DIX-SEPT ANS...

...MAIS TU IMAGINES BIEN QUE CE N'EST PAS POUR TE PARLER D'ELLE QUE JE T'AI FAIT VENIR !...

IL S'AGIT D'UNE AFFAIRE BIEN PLUS GRAVE...

TOUT A COMMENCÉ IL Y A QUELQUES MOIS, LORSQU'UN ÉBOULEMENT DANS LES CAVES DU COUVENT FRANCISCAIN DE VEYNES A MIS À JOUR DES ROULEAUX DE PARCHEMIN EXTRÊMEMENT ANCIENS...

J'AI AUSSITÔT ENVOYÉ MES MEILLEURS ÉLÉMENTS SUR PLACE, AFIN QU'ILS ÉTUDIENT LES MANUSCRITS...

JE RECEVAIS RÉGULIÈREMENT DES COMPTES RENDUS DES RECHERCHES, JUSQU'AU JOUR OÙ "QUELQUE-CHOSE D'EXTRAORDINAIRE" A ÉTÉ DÉCOUVERT...

APRÈS, PLUS RIEN.

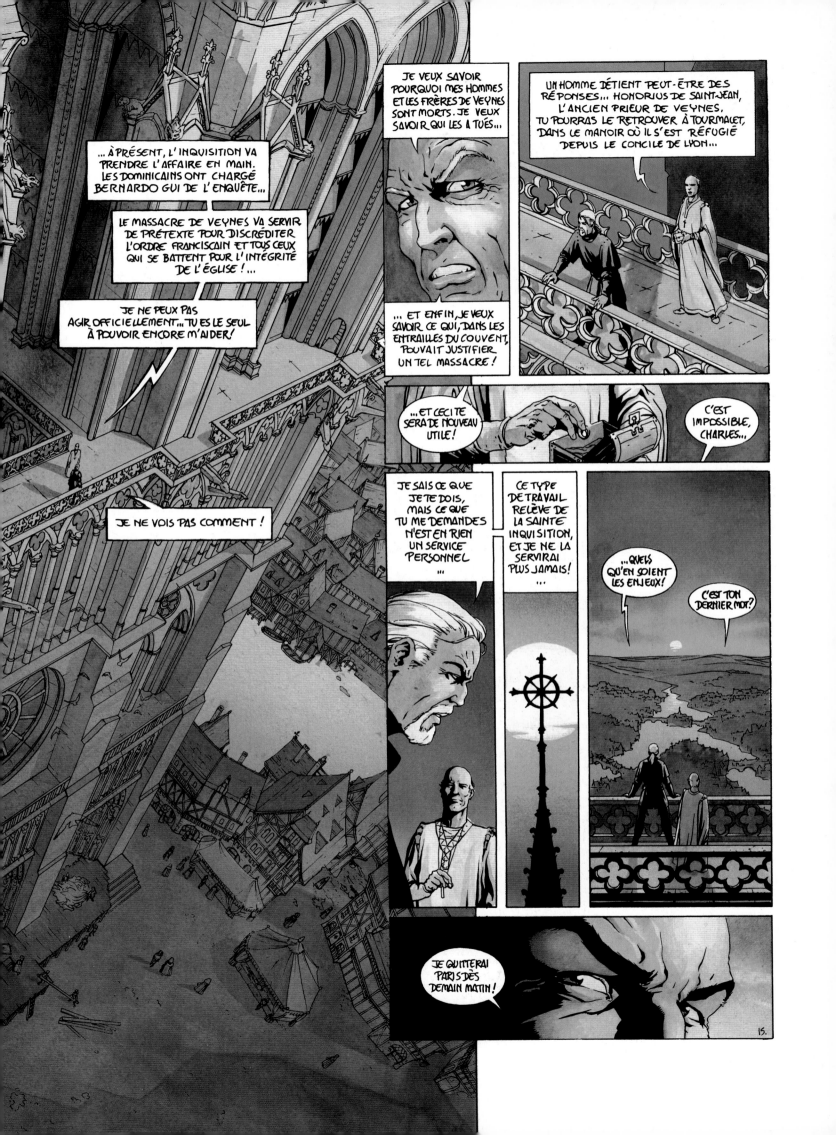

18

LE PARVIS EST ENCOMBRÉ PAR LA FÊTE!

IL FAUT PASSER PAR LES CÔTÉS!

?!

VA VOIR DANS LA GRANDE SALLE DE LA TOUR SUD... JE M'OCCUPE DE LA NEF!!

D'ACCORD!

CONRAD...

PÈRE?

TON PÈRE EST MORT.

QUOI?...

IL A ÉTÉ ASSASSINÉ.

NOUS SOMMES TOMBÉS DANS UN PIÈGE. IL FAUT PARTIR D'ICI TRÈS VITE.

VOUS MENTEZ! CE N'EST... CE N'EST PAS POSSIBLE!! JE VEUX LE VOIR!!

SI TU FAIBLIS MAINTENANT, TU ES MORTE! TU DOIS VENIR AVEC MOI!

IL EST LÀ-HAUT!

IL S'EST PIÉGÉ LUI-MÊME! NOUS LE COINCERONS DANS LE CLOCHER!

PAR ICI! C'EST NOTRE SEULE CHANCE!!

OÙ ALLONS-NOUS?

DANS LE CLOCHER!

QUOI?

20.

22

À L'ESCALIER, VITE!!

EN SELLE! ILS REDESCENDENT!

LA PORTE!

FERMEZ LA PORTE!

TCHK

AAH!

22.

24

RATTRAPEZ-LES!!

YA!!

VOILÀ POUR VOUS, BRAVES GENS!

DE L'OR !!!

DÉGAGEZ LE PASSAGE!

HORS DU CHEMIN, MANANTS!!

DE L'OR!

"...ET MOI, CONRAD DE MARBOURG, CHOISI PAR L'ÉTERNEL ET DESTINÉ PAR LUI À COMBATTRE LE MALIN QUI ENVAHIT LE CŒUR DES HOMMES..."

"...JE FAIS LE SERMENT DE ME MONTRER DIGNE DE MES PÈRES, ET DE TOUJOURS PORTER CET ANNEAU, SYMBOLE DE MON ENGAGEMENT ET DE MA CHARGE..."

"...LA MAIN DE DIEU!"

ÉLISABETH?

IL FAUT MANGER, JEUNE FILLE! LA ROUTE EST LONGUE JUSQU'À SAINTE-ANNE!

JE N'IRAI PAS.

26.

HORS DE QUESTION! JE VAIS TE CONDUIRE AU COUVENT DE SAINTE-ANNE, ET TU Y RESTERAS JUSQU'À CE QUE L'AFFAIRE SOIT OUBLIÉE.

ALORS C'EST COMME ÇA?...

VOUS ARRIVEZ DANS MA VIE, SORTANT DE NULLE PART; VOUS LAISSEZ MON PÈRE SE FAIRE TUER...

...ET VOUS DISPARAISSEZ, VOUS RETOURNEZ VOUS TERRER DANS L'OMBRE COMME SI RIEN N'ÉTAIT ARRIVÉ?!...

LÀ OÙ JE VAIS, TU NE SERAIS PAS EN SÉCURITÉ. CEUX QUI ONT TUÉ TON PÈRE ONT PROUVÉ LEUR DÉTERMINATION... MAIS ELLE N'EST RIEN FACE À LA MIENNE.

DÉSORMAIS, JE SUIS LE SEUL QUI PUISSE LE VENGER... ET COMPRENDRE POURQUOI IL EST MORT.

NON, VOUS N'ÊTES PAS LE SEUL!

N'ESPÉREZ PAS ME VOIR CROUPIR AU FOND D'UN COUVENT... JE LES CONNAIS ASSEZ BIEN POUR POUVOIR M'EN ÉCHAPPER!

JE TROUVERAI CEUX QUI L'ONT TUÉ, MARBOURG! ET PUISQUE VOUS NE VOULEZ PAS DE MOI À VOS CÔTÉS, J'IRAI SEULE!...

... ET AVEC OU SANS VOUS, JE LES FERAI PAYER!!

ADIEU, MONSIEUR LE COMTE!

VIENS.

25.

VOUS ÊTES EN RETARD.

JE... JE SAIS, SEIGNEUR. MAIS J'AI DE PLUS EN PLUS DE MAL À JUSTIFIER MES ABSENCES. J'AI MIS DU TEMPS À LE CONVAINCRE QUE JE DEVAIS VENIR PERSONNELLEMENT À PARIS POUR MES RECHERCHES...

JE VEUX DES INFORMATIONS, TESSINGHER, PAS DES EXCUSES! VOTRE "MAÎTRE" EST-IL RESPONSABLE DU MEURTRE DE L'ARCHEVÊQUE?

26

MALHEUREUSEMENT, JE N'AI PAS ENCORE PU L'APPRENDRE.

ME VOILÀ BIEN AVANCÉ ! ET QU'EN EST-IL DE SES RECHERCHES ?

LES NOUVEAUX ÉLÉMENTS NOUS ONT FAIT FAIRE DES PROGRÈS DÉCISIFS ! LA TRADUCTION SE POURSUIT... SI TOUT SE DÉROULE COMME PRÉVU, L'ÉNIGME FINALE SERA BIENTÔT RÉSOLUE !

CELA DIT, IL DEVIENT DE PLUS EN PLUS MÉFIANT... JE DOIS PRENDRE DES RISQUES ÉNORMES POUR SAVOIR CE QU'IL TRAME... JE CROIS QUE NOUS DEVRIONS ARRÊTER DE NOUS VOIR PENDANT UN MOMENT...

CHIEN PUANT !! TA MISÉRABLE EXISTENCE T'APPARTIENDRA LORSQUE J'AURAI ATTEINT MON BUT !!

ET N'OUBLIE PAS, SORCIER ! LE JOUR OÙ TU REVIENDRAS SANS INFORMATIONS, TU REGRETTERAS LES GEÔLES D'OÙ JE T'AI FAIT SORTIR !!

IL... ARGL... IL A JUSTE PARLÉ DU "RÉVEIL DU LION"

CROAAAA

= KEUF =
= KEUF =

"LE RÉVEIL DU LION"...

EST-CE POUR VOTRE ÂME QUE VOUS PRIEZ, OUBIEN POUR CELLES DES HOMMES QUI VOUS ONT FORCÉ À L'EXIL ?

QUE SIGNIFIE CETTE QUESTION ?

EH BIEN... MON PÈRE M'A DIT QUE VOUS AVIEZ EU DE HAUTES RESPONSABILITÉS AU SEIN DE L'ÉGLISE DU SAINT-EMPIRE...

J'IGNORE QUELLE ÉTAIT VOTRE FONCTION... MAIS CE QUE JE SAIS, C'EST QUE VOUS AVEZ DÛ DISPARAÎTRE IL Y A VINGT ANS...

J'IMAGINE QUE CE N'ÉTAIT PAS SANS RAISONS...

MES SUPÉRIEURS N'APPRÉCIAIENT NI MES MÉTHODES, NI LE COMBAT QUE JE MENAIS...

CONTRE QUI VOUS BATTIEZ-VOUS ? LES CATHARES ? LES SPIRITUELS ? LES LUCIFÉRIENS ?

JE NE ME SUIS JAMAIS ATTAQUÉ AUX HOMMES, JEUNE FILLE... C'EST À DIEU DE LES JUGER, PAS À MOI...

JE N'AI POURCHASSÉ QUE LE MAL QUI PREND LEUR IMAGE.

CE MOMENT-LÀ JE PENSAIS ENCORE QUE MARBOURG PARLAIT PAR MÉTAPHORES. PLUS TARD, J'ESSAYAI D'OBTENIR DES RÉPONSES PLUS PRÉCISES... MAIS SANS SUCCÈS.

VISIBLEMENT, JE L'INTÉRESSAIS PEU. JE COMMENÇAIS D'AILLEURS À DOUTER QU'UN ÊTRE TEL QUE LUI PÛT S'INTÉRESSER À QUI QUE CE SOIT... SINON À DIEU.

ANS LES SEMAINES QUI SUIVIRENT, NOUS CHEVAUCHÂMES VERS LES PYRÉNÉES AVEC L'ESPOIR D'Y RETROUVER L'ANCIEN PRIEUR HONORIUS.

S'IL VIVAIT TOUJOURS DANS SON MANOIR DU COL DU TOURMALET, PEUT-ÊTRE POURRAIT-IL NOUS APPORTER LES RÉPONSES DONT NOUS AVIONS TANT BESOIN...

N CHEMIN, NOUS PRENIONS SOIN D'ÉVITER LES GRANDES VILLES, AINSI QUE TOUS LES ENDROITS OÙ L'ON AURAIT PU RECONNAÎTRE "L'ASSASSIN DE L'ARCHEVÊQUE"
...

MAIS TOUS CES EFFORTS DEVAIENT S'AVÉRER VAINS...

... CAR LE DANGER N'ÉTAIT PAS SUR LA ROUTE QUI S'ÉTENDAIT DEVANT NOUS...

... MAIS DANS LES TRACES QUE NOUS LAISSIONS DERRIÈRE.

MARBOURG! JE CROIS QUE NOUS SOMMES SUIVIS!!

C'EST EXACT. IL EST APRÈS NOUS DEPUIS SARLAT.

ET VOUS N'ÊTES PAS INTERVENU?! QU'EST-CE QUE VOUS ATTENDEZ??

UNE OCCASION.

29-

31

LÂCHEZ PAS!

PAR PITIÉ, LÂCHEZ PAS!

QUI TE PAIE POUR NOUS SUIVRE?

J'PEUX... J'PEUX PAS RÉPONDRE! I'M'TUERAIENT!!

JE FATIGUE...

J'VOUS JURE! J'LES CONNAIS PAS! VRAIMENT!!

TOUT C'QUE J'PEUX DIRE, C'EST QU'C'EST DES TONSURÉS... ET QUI PAIENT BIEN... MAIS Y'A PIRE POUR VOUS!!!

EH BIEN! PARLE!!

J'SUIS PAS L'SEUL À VOUS SUIVRE! C'EST L'DIABLE!... L'DIABLE ET TOUT L'ENFER QU'EST À VOS TROUSSES! J'LES AI VUS...

?! AAAAAAAAAA

SEIGNEUR...

33

BRAVE PETIT.

ES PROPOS INCOHÉRENTS DE L'ESPION SEMBLAIENT INQUIÉTER MARBOURG PLUS QUE DE RAISON. QUANT À MOI, JE COMMENÇAIS À ME DEMANDER SI J'AVAIS BIEN CHOISI MON COMPAGNON DE VOYAGE... QUEL GENRE D'HOMME ÉTAIT-IL, LUI QUI N'AVAIT PAS HÉSITÉ À SACRIFIER LA VIE D'UN HOMME POUR OBTENIR DES INFORMATIONS ?

E NE PARVENAIS PAS À M'EXPLIQUER L'ATTAQUE DES CORBEAUX, ET MARBOURG RESTA SILENCIEUX À CE SUJET. NOUS NOUS ACCORDÂMES NÉANMOINS UNE HALTE POUR LA NUIT, AVANT DE NOUS LANCER LE LENDEMAIN SUR DES SENTIERS DE PLUS EN PLUS ESCARPÉS. JUSQU'À CE QU'ENFIN ...

NOUS Y VOILÀ. LE MANOIR DU TOURMALET !

32.

34

OUI, C'EST PLUTÔT SURPRENANT...

ÇA A L'AIR DÉSERT...

TCHAC

À TERRE! ILS NOUS ONT DEVANCÉS!

EH!

PLUS UN GESTE, BRIGANDS!

=FROTCH=

JETEZ VOS ARMES!

ET PLUS VITE QUE ÇA, BANDE DE MÉCRÉANTS!

MAÎTRE! SURTOUT NE TIREZ PAS!

VOUS VOYEZ BIEN QUE CE SONT DE SIMPLES VOYAGEURS!

33.

TIENS...MAIS OUI, BLANDINE... VOUS AVEZ RAISON!

JE VOUS PRIE D'EXCUSER MON COMPORTEMENT, BRAVES GENS... MAIS ON VOIT TELLEMENT DE BRIGANDS DANS LA RÉGION...

IL EST VRAI QUE LES ROUTES SONT PEU SÛRES MAIS JE ME PRÉSENTE: ÉLISABETH, FILLEULE DE L'ARCHEVÊQUE D'ELSENOR. VOICI ALBAN... MON PRÉCEPTEUR.

C'EST UN HONNEUR POUR MOI, MADEMOISELLE. MAIS QUE ME VAUT CETTE VISITE?

DE MAUVAISES NOUVELLES AU SUJET DU COUVENT DE VEYNES.

SEIGNEUR! ÇA A DONC FINI PAR ARRIVER...

AH, LE VOICI.

POUR QUE VOUS COMPRENIEZ BIEN TOUTE L'HISTOIRE, IL FAUT D'ABORD QUE JE VOUS CONTE UNE PARABOLE. AVEZ-VOUS DÉJÀ ENTENDU PARLER DE JULIUS DE SAMARIE?

NON, JAMAIS.

ÇA NE M'ÉTONNE PAS! SON HISTOIRE A ÉTÉ ÉCARTÉE DES ÉCRITS OFFICIELS PAR LES DÉCRETS DE GÉLASE EN 935. MAIS SELON MOI, L'ÉGLISE A EU BIEN TORT DE CONSIDÉRER CE TEXTE COMME APOCRYPHE...

MAIS NE BRÛLONS PAS LES ÉTAPES VOICI LE TEXTE TEL QU'IL EST RESTITUÉ ICI.

34.

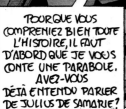

"JULIUS ÉTAIT UN ÉRUDIT DE SAMARIE, QUI ÉTAIT EN QUÊTE DE CONNAISSANCE.

"CE COFFRE REPRÉSENTE TOUT CE QU'UN HOMME DOIT CONNAÎTRE. JE TE LE CONFIE. QUITTE TA TERRE ET LES TIENS POUR CHERCHER L'ENDROIT LE PLUS SECRET DU MONDE. LÀ, SANS JAMAIS L'AVOIR OUVERT, TU DÉPOSERAS LE COFFRE. TELLE EST MA VOLONTÉ."

UN JOUR QUE L'ÉTUDE L'AVAIT MENÉ TOUT PRÈS DU SAVOIR ULTIME, DIEU LUI APPARUT DANS UN RAYON DE LUMIÈRE ET LUI CONFIA UN COFFRE, DISANT:

ET JULIUS QUITTA SA TERRE ET LES SIENS. IL VOYAGEA DE LONGUES ANNÉES À TRAVERS LE MONDE, SANS JAMAIS OUVRIR LE COFFRE. AU CRÉPUSCULE DE SA VIE, IL TROUVA L'ENDROIT QUE DIEU LUI AVAIT INDIQUÉ. ET, AINSI QUE DIEU LUI AVAIT INDIQUÉ, IL Y DÉPOSA L'OBJET.

LAS, AVANT DE PARTIR, IL NE PUT S'EMPÊCHER DE SOULEVER SON COUVERCLE. CE QUE LE COFFRE CONTENAIT, JULIUS NE LE VIT JAMAIS, CAR DIEU OUVRIT LA TERRE SOUS SES PAS ET JULIUS Y FUT ENGLOUTI POUR L'ÉTERNITÉ.

TEL FUT LE SORT DE JULIUS DE SAMARIE, QUI JAMAIS NE COMPRIT QUE TOUT CE QU'UN HOMME DOIT CONNAÎTRE, C'EST LA VOLONTÉ DE DIEU."

QUEL RAPPORT AVEC LES DOCUMENTS DE L'ABBAYE DE VEYNES? JE NE VOIS LÀ QU'UNE PARABOLE OBSCURANTISTE SUR LA TENTATION DU SAVOIR!

CERTES, MON ENFANT, C'EST CE QUE TOUT LE MONDE A TOUJOURS CRU. MAIS LAISSEZ-MOI VOUS CONTER UNE AUTRE HISTOIRE. LA MIENNE.

35.

EN 1252, J'ÉTAIS UN JEUNE FRÈRE QUE L'ON DISAIT PROMETTEUR... JE FUS ENVOYÉ PAR L'ÉGLISE EN TERRE SAINTE AFIN DE RAMENER EN OCCIDENT DES MANUSCRITS QUE L'ON AVAIT DÉCOUVERTS DANS LA RÉGION DE QUMRÂN...

LA PLUPART DE CES DOCUMENTS ÉTAIENT DES ROULEAUX DE PARCHEMIN SANS GRAND INTÉRÊT, D'ANTIQUES ARCHIVES ENFERMÉES DEPUIS DES SIÈCLES DANS LEURS JARRES DE TERRE CUITE.

LE VOYAGE FUT PONCTUÉ DE TERRIBLES ACCIDENTS, TREIZE HOMMES TROUVANT LA MORT DANS DES CIRCONSTANCES AUSSI HORRIBLES QU'INEXPLICABLES. LE CONTENU DES CHARIOTS FUT MIS EN CAUSE, ON COMMENÇA À PARLER DE MALÉDICTION...

L'UN D'ENTRE EUX, CEPENDANT, REPOSAIT DANS UN RELIQUAIRE OUVRAGÉ EN MÉTAL PRÉCIEUX...

DE RETOUR AU COUVENT DE VEYNES, DONT J'AVAIS ÉTÉ NOMMÉ PRIEUR, L'ÉGLISE COMMANDA LA DESTRUCTION DE L'ENSEMBLE DES MANUSCRITS.

NE POUVANT ME RÉSOUDRE À L'ANNIHILATION DE TANT DE CONNAISSANCES, JE FIS BRÛLER LES DOCUMENTS QUI SEMBLAIENT AVOIR LE MOINS DE VALEUR, ET J'EMMURRAIS LES AUTRES DANS UNE ANCIENNE CRYPTE, PENSANT QU'ILS Y RESTERAIENT JUSQU'À CE QUE L'ÉGLISE OUBLIE LEUR EXISTENCE

...

CEPENDANT, AU MOMENT DE SCELLER LA CRYPTE, JE NE PUS RESISTER À LA TENTATION DE PARCOURIR LE PARCHEMIN DU RELIQUAIRE...

CE QUE J'Y VIS ME FIT REGRETTER MON GESTE, CAR JE COMPRIS QUE C'ÉTAIT CE MANUSCRIT QUI AVAIT APPORTÉ LE MALHEUR SUR NOTRE CARAVANE.

JE REFERMAI EN HÂTE LE RELIQUAIRE, LE FIS MÛRER DANS SON ALCÔVE, ET TÂCHAI D'OUBLIER CE QUE J'Y AVAIS VU.

SAINT FRANÇOIS ME PARDONNE, J'AI ÉTÉ ASSEZ FOU POUR CROIRE QUE CACHER CE PARCHEMIN DISSIPERAIT À JAMAIS LA MALÉDICTION...

LE MASSACRE DES FRÈRES DE VEYNES PROUVE QUE J'AVAIS TORT. J'AURAIS DÛ BRÛLER LE RELIQUAIRE AVEC LE RESTE...

J'AURAIS DÛ ÉCOUTER L'ORDRE DE L'ÉGLISE !

COMMENT POUVEZ-VOUS DIRE CELA, VOUS QUI AVEZ DÉDIÉ VOTRE VIE AU SAVOIR ? COMMENT POUVEZ-VOUS PARLER DE BRÛLER UN LIVRE ?!

MON ENFANT, IL Y A DES LIMITES À CE QU'UN HOMME DOIT CONNAÎTRE... LA QUÊTE DU SAVOIR DOIT S'ARRÊTER LÀ OÙ COMMENCE LA VANITÉ DEVANT DIEU !

MAIS BON SANG, DE QUOI S'AGISSAIT-IL ? QUE RENFERMAIT LE RELIQUAIRE ?!

LA CLÉ DU SAVOIR ULTIME. LE CARNET DE VOYAGE DE JULIUS DE SAMARIE.

COMPRENEZ-MOI BIEN, JEUNE FILLE ! ...

CES CARNETS MAUDITS INDIQUENT CERTAINEMENT L'EMPLACEMENT DE LA CACHETTE DE JULIUS...

MAIS MON PÈRE... SAUF VOTRE RESPECT, DEPUIS TOUT CE TEMPS LE RÉCIT A PU ÊTRE DÉFORMÉ, INTERPRÉTÉ...

CE "COFFRE" OFFERT PAR DIEU N'EST PEUT-ÊTRE QU'UN SYMBOLE...

JE L'AI LONGTEMPS ESPÉRÉ...

UNE VIE ENTIÈRE DE RECHERCHES NE M'A PAS PERMIS DE LE DÉTERMINER AVEC CERTITUDE.

MAIS AVEC LES NOUVELLES QUE VOUS M'APPORTIEZ, JE SAIS AUJOURD'HUI QUE CE N'EST PAS LE CAS. LES MONSTRES QUI ONT RASÉ VEYNES CHERCHAIENT AUTRE CHOSE QU'UN SYMBOLE!

...ET LEUR EXISTENCE PROUVE QUE SON HISTOIRE N'EST PAS QU'UNE LÉGENDE !!

QUI PEUVENT-ILS ÊTRE?

JE N'EN AI AUCUNE IDÉE! MAIS JE SUIS SÛR QU'ILS NE S'ARRÊTERONT PAS LÀ! ILS ONT LES CARNETS, ET POUR RETROUVER LE SANCTUAIRE DONT PARLE JULIUS, DES GENS COMME EUX SERONT PRÊTS À METTRE LE MONDE À FEU ET À SANG... UNE FOIS LEUR BUT ATTEINT... PERSONNE SUR CETTE TERRE NE SAIT CE QUI ADVIENDRA !!

IL FAUT LE DÉCOUVRIR !

ET POUR LES ARRÊTER, IL FAUT QUE NOUS SACHIONS CE QU'ILS CHERCHENT ! IL DOIT Y AVOIR UN MOYEN...

EH BIEN ... LA TRADUCTION DU DE ASPECTIBUS PAR ALVAREZ MENTIONNE L'EXISTENCE D'UNE BIBLIOTHÈQUE SECRÈTE, CONSTRUITE PAR LES PLUS HAUTES AUTORITÉS RELIGIEUSES, ET SITUÉE À TOLÈDE...

ELLE CONTIENDRAIT UNE COPIE COMPLÈTE DES CARNETS ...

C'EST PARFAIT ! ...

COMMENT TROUVERONS-NOUS LA BIBLIOTHÈQUE ?

VOUS NE LA TROUVEREZ PAS.

LES SEULES PERSONNES QUI EN CONNAISSAIENT LES MOYENS D'ACCÈS SONT MORTES, ET ENTERRÉES DEPUIS LONGTEMPS !...

NOUS IRONS À TOLÈDE.

ILS SONT TOUS **MORTS**, MONSIEUR !

DEMAIN, NOUS PARTONS POUR L'ESPAGNE.

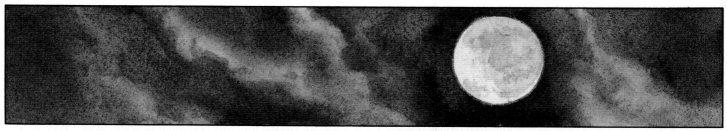

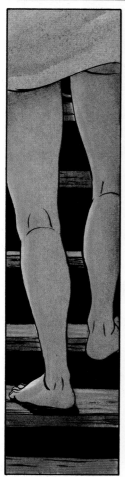

VOUS N'AVEZ
PAS TOUT DIT
SUR VOTRE PASSÉ,
MONSIEUR
LE COMTE
...

...MAIS
D'AUTRES VONT
PARLER POUR
VOUS !...

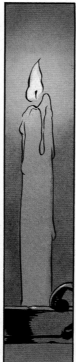

?

BONNE MÈRE!

AINSI, VOUS COMPTEZ TOUT DE MÊME PARTIR POUR TOLÈDE ...

EN EFFET. NOUS ...

MAÎTRE HONORIUS! MAÎTRE HONORIUS!!

UNE HORDE DE CAVALIERS EN ARMES, MAÎTRE! ILS FONT ROUTE VERS LE MANOIR!!

ALLEZ.

FOUILLEZ TOUT DE FOND EN COMBLE! TROUVEZ L'INQUISITEUR!

TCHAC

CRAC

OÙ EST-IL ?

OÙ EST CONRAD DE MARBOURG ?!

MARBOURG... J'AURAIS DÛ M'EN DOUTER !

SEIGNEUR ! ILS ONT MIS LE FEU À LA BIBLIOTHÈQUE, ET ON A RETROUVÉ LES TRACES DE TROIS CHEVAUX DERRIÈRE LE MANOIR...

RASEZ-MOI TOUT ÇA ! LA CHASSE CONTINUE...

43.

MON PAUVRE MAÎTRE!
POURQUOI?...
POURQUOI EST-IL
RESTÉ?!...

SES
RECHERCHES
ÉTAIENT TOUTE SA
VIE...

PARTIR
EN LES ABANDONNANT
N'AURAIT EU
AUCUN SENS.

POUR MA PART, JE PENSAIS
QU'HONORIUS N'AVAIT
JAMAIS RÉUSSI À SE
PARDONNER LES ÉVÉNEMENTS
DE VEYNES. SON SACRIFICE
DEVAIT ÊTRE SA RÉDEMPTION...

CET APRÈS-MIDI-LÀ,
NOUS LAISSIONS BLANDINE EN
SÉCURITÉ DANS UN VILLAGE,
AVANT DE POURSUIVRE NOTRE ROUTE
...

J'ÉTAIS ENFIN SEULE
AVEC LUI...

MARBOURG!
VOUS POUVEZ CESSER
VOTRE COMÉDIE!
JE SAIS POURQUOI NOUS
ALLONS À TOLÈDE!

HONORIUS AVAIT RAISON...TOUS CEUX
QUI CONNAISSAIENT L'EMPLACEMENT
DE LA BIBLIOTHÈQUE SONT MORTS...

TOUS...Y COMPRIS UN CERTAIN
INQUISITEUR ALLEMAND, TOMBÉ EN
DISGRÂCE IL Y A VINGT ANS...

IL EST MORT DANS
L'INCENDIE QUI A SUIVI
SON PROCÈS! ON L'APPELAIT
MANUS DEI, LA MAIN DE
DIEU... MAIS SON VRAI NOM,
VOUS LE CONNAISSEZ
MIEUX QUE PERSONNE!...

44.

J'IGNORE COMMENT VOUS EN ÊTES RÉCHAPPÉ, MARBOURG!...

MAIS CE QUE JE SAIS, C'EST QUE VOUS N'ÊTES PAS LE SERVITEUR INTÈGRE DE L'ÉGLISE QUE VOUS PRÉTENDEZ ÊTRE!

POUR LUTTER CONTRE VOTRE SOI-DISANT "DÉMON", VOUS AVEZ TORTURÉ ET BRÛLÉ DES DIZAINES D'INNOCENTS!!

LE DIABLE N'EXISTE PAS, MARBOURG! LE VÉRITABLE MAL SUR CETTE TERRE, CE SONT DES MONSTRES TELS QUE VOUS!!

TU N'ES PAS PRÊTE POUR CERTAINES VÉRITÉS, ÉLISABETH!

MAIS IL Y A TOUT DE MÊME UNE CHOSE QUE TU DOIS SAVOIR...

SI JE NE SUIS PAS MORT IL Y A VINGT ANS, C'EST GRÂCE À UN HOMME. UN HOMME QUI A TOUT RISQUÉ POUR ORGANISER MON ÉVASION. UN HOMME QUI, PENDANT VINGT ANS, A TENU SECRÈTE MON EXISTENCE...

TON PÈRE, ÉLISABETH.

COMMENT VOUS CROIRE, APRÈS TOUT CE QUE VOUS M'AVEZ CACHÉ?

JE N'AI PAS DE PREUVE À T'APPORTER; MAIS RAPPELLE-TOI CECI: TON PÈRE CROYAIT EN MON COMBAT...

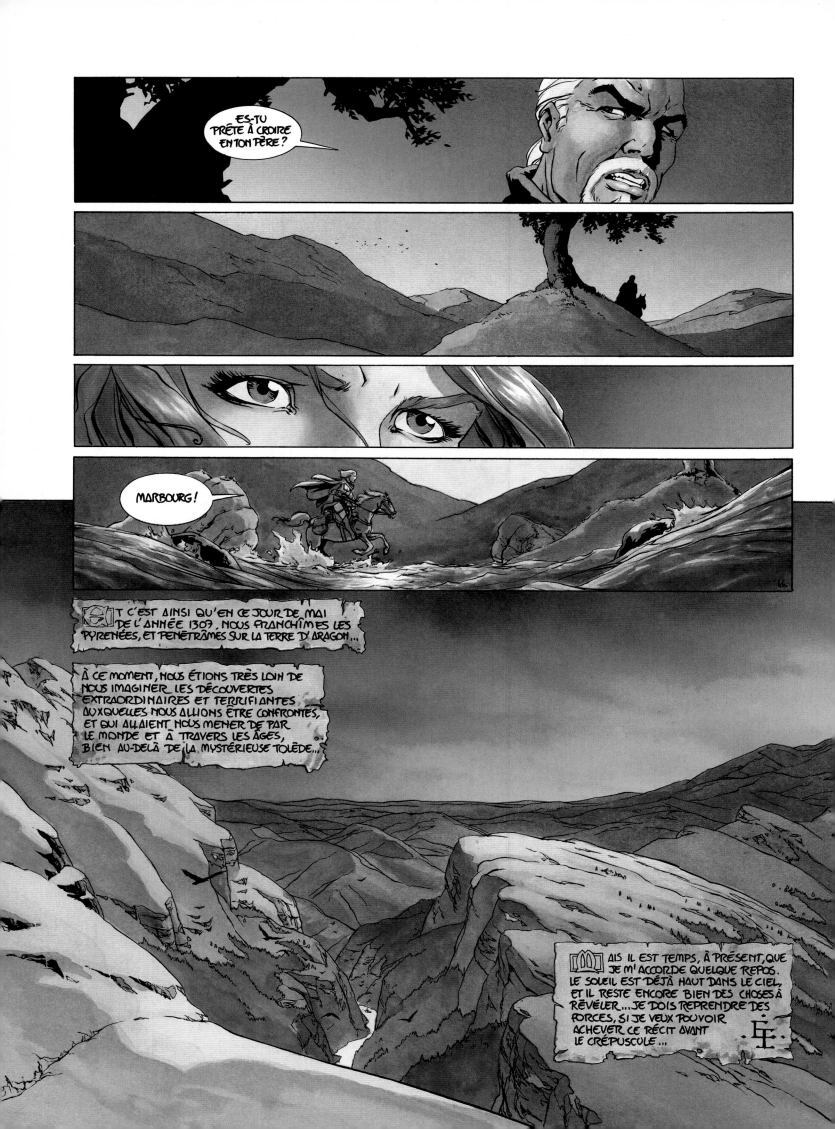

LIVRE I : MARC *ou* LE RÉVEIL DU LION
LIVRE II : MATTHIEU *ou* LE VISAGE DE L'ANGE
LIVRE III : LUC *ou* LE SOUFFLE DU TAUREAU
LIVRE IV : JEAN *ou* LE JOUR DU CORBEAU

Nezach